USHUAIA
Y ALREDEDORES - AND SURROUNDINGS
FOTOS DE VIAJE ~ TRAVEL IMAGES

Fotos/*Photographs*:
Carlos Vairo - Sergio Zagier
Texto/*Text*:
Carlos Vairo

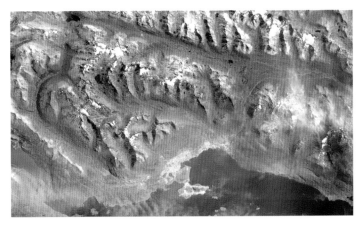

Museo Marítimo de Ushuaia

ZAGIER & URRUTY
PUBLICATIONS

© 2007 ZAGIER & URRUTY
ISBN 987-22329-2-X

Textos: Carlos Pedro Vairo

Edición de textos y diagramación: Demian Gresores

Traducción al inglés: Iraí Freire y Celina Beccaria

Diseño y dirección general: Sergio Zagier

Aunque el autor y los editores han investigado exhaustivamente las fuentes para asegurar exactitud en los textos y fotos contenidos en este libro, ellos no asumen responsabilidad alguna por errores, inexactitudes, omisiones o cualquier inconsistencia incluída. Cualquier agravio a personas, empresas o instituciones es completamente involuntario.

Although the author and publishers have exhaustively researched all sources to ensure the accuracy and completeness of the information and photographs contained in this book, they assume no responsibility for errors, inaccuracies, omissions or any inconsistency herein. Any slights of people or organizations are unintentional.

EN EL PRESIDIO

✉ Yaganes y Gob. Paz
9410 Ushuaia
Argentina
✆ (54-2901) 437481
FAX (54-2901) 436321
E-MAIL museomaritimo@infovia.com
WEB www.ushuaia.org

ZAGIER & URRUTY
PUBLICATIONS

Las Lajas 1367 - Ushuaia

✉ P.O. Box 94 Sucursal 19
C1419ZAA Buenos Aires
Argentina
✆ (54-11) 4572-1050
FAX (54-11) 4572-5766
E-MAIL info@zagier.com
WEB www.patagoniashop.net

Vairo, Carlos Pedro
Ushuaia : imágenes de viaje = travel images / Carlos Pedro Vairo y Sergio Zagier - 1a ed. - Buenos Aires : Zagier & Urruty Publicaciones, 2006.
96 p. : il. ; 17x24 cm.

ISBN 987-22329-2-X

1. Turismo-Ushuaia. 2. Ushuaia-Tierra del Fuego (prov.). I. Zagier, Sergio II. Título
CDD 338.479 109 827 6

Fecha de catalogación: 08/09/2005

Contenidos

Contents

Historia de la región

Las primeras noticias de Tierra del Fuego fueron dadas por Juan Sebastián Elcano que participó en el viaje de descubrimiento comandado por Magallanes. En noviembre de 1520 descubren el famoso estrecho que hoy lleva su nombre y ven por primera vez una tierra que bautizaron "Tierra de los Fuegos".

Por un período de casi 37 años nadie más cruza dicho estrecho. Tanto es así que hasta se llega a pensar que no existe más, dado que siete expediciones fracasan en el intento de navegarlo. Juan Ladrilleros, en 1557, lo cruza de oeste a este, pero los contactos con los habitantes de Tierra del Fuego propiamente dichos fueron esporádicos.

Pasaron muchas expediciones y fueron muchos los navegantes

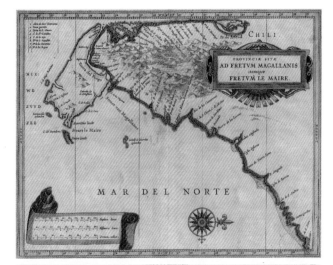

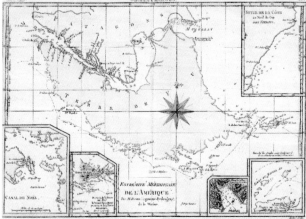

History of the Region

Juan Sebastián Elcano, who took part in the discovery voyage commanded by Magallanes, was the first one to spread news of Tierra del Fuego. In November 1520, they discovered the famous strait named after the latter, and saw for the first time the land which they christened 'Land of Fires.'

Nobody after them sailed across the strait for almost thirty-seven years. It was even thought that the strait no longer existed, since seven expeditions had failed to sail it. Juan Ladrilleros sailed it from west to east in 1557, but contacts with the natives of Tierra del Fuego themselves were scarce.

Many expeditions visited the region and many sailors shortly sighted land on the archipel-

Arriba: Fretum Magallanis Fretum Le Maire. J. de Laet, 1633, Holanda.
Abajo: Extrémité Méridional de L'Amerique. Par M. Bonne, 1780. Segundo viaje de James Cook.

Above: Fretum Magallanis Fretum Le Maire. J. de Laet, 1633, Holland.
Below: Extrémité Méridional de L'Amerique. Par M. Bonne, 1780. James Cook's second voyage.

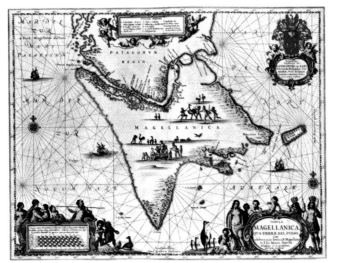

Tabula Magellanica. John Ogibly - Jan Janssonius, 1671, Holanda.

Tabula Magellanica. John Ogibly - Jan Janssonius, 1671, Holland.

MAPAS: COLECCIÓN CARLOS P. VAIRO

que recalaron fugazmente en el archipiélago pero debió pasar mucho tiempo para que se acercaran al canal Beagle y a la zona de Ushuaia.

Así es como recién en 1830 llega a la región una expedición inglesa para realizar la cartografía. Se trata del H.M.S. "Adventure", al mando de Wm. Parker King, y el H.M.S. "Beagle", con el capitán Robert Fitz Roy. Es en esa expedición que el contramaestre Murray descubre el canal que lleva hoy su nombre y ve por primera vez al canal que después es bautizado con el nombre de Beagle. En este viaje tomaron contacto con el pueblo yamana y llevaron cuatro nativos a Inglaterra: Fuegia Basket, Jemmy Button, Boat Memory y York Minster.

Historia de Ushuaia

El primer europeo que se asentó en lo que hoy llamamos la bahía de Ushuaia fue el pastor anglicano Waite H. Stirling, de la South American Missionary Society, que

ago, but it was a long time before they approached the Beagle Channel and the area of Ushuaia.

Finally, in 1830, an English expedition reached the place to do the map-making (cartography) of the area. H.M.S. 'Adventure', commanded by Wm. Parker King, and H.M.S. 'Beagle', headed by Captain Robert Fitz Roy, took part in it. During this voyage Chief Petty Officer Murray discovered the channel which is now named after him and described for the first time the channel that would be named Beagle. During this trip they made contact with the native Yamanas and took four of them to England: Fuegia Basket, Jemmy Button, Boat Memory and York Minster.

Ushuaia's history

The first European to settle down in what is nowadays called the Ushuaia Bay was the Anglican priest Waite H. Stirling, from the South American Missionary Society,

5

estableció misiones en la región desde 1832. En enero de 1869 se quedó habitando una pequeña casa de chapa y madera en un lugar que hoy llamamos "La Misión", cerca del aeropuerto viejo o de la Base Aeronaval, en la península frente a la ciudad.

Al pastor Stirling lo sucedieron William Barlett, James Lewis y Thomas Bridges, quien estaba a cargo de la misión al arribo de la Armada Argentina.

El 28 de setiembre de 1884 ingresaron a la bahía de Ushuaia siete buques de la Armada Argentina que componían la División Expedicionaria al Atlántico Sur comandada por el Coronel de Marina Augusto Lasserre.

which had worked in the region since 1832. He arrived in January 1869 and stayed there, living in a small house made of metal sheets and wood in a place known as 'The Mission', near the old airport or the Base Aero Naval (Aeromarine Base), in the peninsula facing the town.

Priest Stirling was followed by William Barlett, James Lewis, and Thomas Bridges, who was in charge of the mission at the arrival of the Argentine Navy.

On September 28th 1884, seven Argentine Navy ships, which made up the South Atlantic Expeditionary Division commanded by Coronel Augusto Lasserre, entered the Ushuaia bay.

Vista de Ushuaia desde el actual muelle comercial (1898).
A view of Ushuaia from the present commercial pier (1898).

ARCHIVO MUSEO MARÍTIMO DE USHUAIA

CARLOS VAIRO

Vista aérea de Ushuaia desde el canal Beagle. Sobre el mar, a la derecha, la antigua Casa de Gobierno. En el centro el muelle turístico, el hotel Albatros y la actual Casa de Gobierno.

Aerial view of Ushuaia from the Beagle Channel. Above the sea, on the right, the former Government House can be seen and in the center the touristic pier, the Albatros Hotel and the current Government House.

La sorpresa de la gente de la Misión Anglicana debió ser tremenda. Pero los argentinos fueron muy bien recibidos y en un emotivo acto se izó la bandera argentina reemplazando a la de la misión. Thomas Bridges, "Super intendent at Ooshooia" como firmaba las cartas, colaboró entusiasta con el asentamiento de la subprefectura.

El lugar elegido fue frente a la misión, a unos dos kilómetros al este, en una pequeña bahía que llamaban "alakushwaia", algo así como "bahía del pato vapor". El motivo de estar un poco alejados era para que la actividad de los marinos no interfiera con la de los misioneros, lo que fue agradecido.

El día 12 de octubre de 1884 se celebra la inauguración del destacamento de Marina. Es la fecha que se toma como fundación de Ushuaia, que a partir de ese momento comienza a crecer con la casa para el gobernador, y luego vendrán el Juzgado de Paz, la Escuela Nacional N° 1, la oficina postal y el

Anglican Missioners must have been highly surprised. But the Argentines were kindly welcomed and the Argentine flag was raised, thus replacing the mission flag. Mr Thomas Bridges, who signed his letters as "Superintendent at Ooshooia", collaborated enthusiastically with the settlement of the sub prefecture.

The chosen place was facing the mission, two kilometers to the east, on a small bay called "alakushwaia", which meant something like "steam duck's bay". The reason for being a bit far away was for the sailors activities not to interfere with the missioners', which was appreciated. On October 12th, 1884, the Navy Detachment was inaugurated.

This date is considered Ushuaia's foundation date, which from that moment began to grow with a house for the governor, and then the Nacional

ARCHIVO MUSEO MARÍTIMO DE USHUAIA

Los penados construyeron su propio presidio (Pabellón I, 1902).

The convicts built their own prison (Pavillion I, 1902).

CARLOS VAIRO

Vista aérea invernal de la ciudad de Ushuaia, donde se aprecian claramente las cinco alas del ex presidio.

Aerial winter view of the city of Ushuaia, where the five wings of the former prison can be clearly appreciated.

Registro Civil (1892), para sumarse al poco tiempo la policía, la iglesia y un puesto de asistencia médica. El gobierno se encarga de abrir una senda (1893) desde Ushuaia a Lapataia en donde instala un aserradero que luego pasó a la prisión.

Cárcel de Tierra del Fuego, su inicio

En 1896 se veían cristalizados los pedidos de los gobernadores de poner una colonia penal en Ushuaia. La intención era hacer una colonización con penales: disponer de mano de obra abundante y con el tiempo tener una población fija originada en esa misma colonia penal.

Así es como en octubre comienza la construcción de la cárcel que en realidad era una casa

Vista aérea del Aeropuerto de Ushuaia inaugurado en 1997.
Aerial view of Ushuaia's Airport, inaugurated in 1997.

N°1 School, the post office and the register office (1892), and shortly after that the police station, the church and a health service post. The government opened up a path (1893) from Ushuaia to Lapataia, where it set up a saw-mill, which was later moved to the prison.

Tierra del Fuego's Prison, its beginning

In 1896, there came true the governors' requests to place a penitentiary colony in Ushuaia. The intention was to colonize it by means of prisons: abundant labor force would be available and in time a fixed population would originate from that same penitentiary colony.

This is how in October the construction of the prison began,

El puerto de Ushuaia hoy.
The port of Ushuaia today.

de madera con techo de zinc y una cuadra para mujeres, otra para menores y ocho celdas para hombres. Las letrinas estaban cerca del mar. El lugar es el mismo que ocupa actualmente el predio del presidio pero más cerca del mar; aproximadamente al pie de donde está la Prefectura Naval.

En 1902 comienza la construcción del Presidio que conocemos hoy a partir de la primera ala (Pabellón 1 que actualmente se conoce como ala histórica). La tarea es realizada por los penados que así van levantando las paredes que serán su propio encierro.

A partir de entonces la vida del pueblo de Ushuaia comenzó a girar en torno del penal. El 90 por ciento de la población de la ciudad se componía de empleados nacionales y el comercio vi-

Locomotora similar a la que utilizaban a principios del siglo XX en el Presidio, exhibida en la entrada del Museo Marítimo de Ushuaia.

Locomotive similar to the one used at the beginning of the XX century in the Prison, exhibited in the entrance of the Maritime Museum of Ushuaia.

which was actually a wooden house with a roof made of zinc, and a cell for women, another one for minors, and eight for men. The latrines were near the sea. The place is currently occupied by the prison's premises, may be a bit closer to the sea, just below the Prefectura Naval. (Naval Prefecture).

In 1902 it began the construction of the first wing of the building of the Prison, as we know it today. This work was done by the convicts who thus erected the walls which would mean their imprisonment.

From then on, Ushuaians life began to move round the prison. 90 per cent of the town's population was made up of civil servants, and commerce lived off the same sources. There were more than a thousand convicts,

vía de las mismas fuentes. Los reclusos llegaron a sumar más de mil, los guardiacárceles alcanzaron los doscientos. Los empleados públicos eran un grupo importante, del cual vivían los comerciantes, que eran la población más estable.

Es casi imposible imaginarse a Ushuaia sin el Presidio. Hasta cabe la pregunta de si hubiese existido sin él. Seguro que no hubiese tenido el impulso que tuvo y casi con certeza no creo que en este momento fuese más que un pueblo grande.

jail keepers (jailers) reached two hundred. Civil servants were an important group, and businessmen, who were the most stable population, lived off them.

It is almost impossible to imagine Ushuaia without the Prison. There is even the question of whether it would have existed without it.

It surely would not have had the same push, and I am almost certain that it would not be more than a big town

CARLOS VAIRO

El viernes 21 de marzo de 1947 el presidente Juan Domingo Perón firmó el decreto por el que se clausuró definitivamente el penal, y pasó a la Secretaría de Marina donde luego comenzó a funcionar la Base Naval Ushuaia, Almirante Berisso.

On Friday 21st March, 1947, president Juan Domingo Perón signed the decree that definitely closed the Prison. The Marine Secretary was in charge of the building and the Base Naval Ushuaia, Almirante Berisso, started to operate.

La mano de obra de los penados permitió a la ciudad contar con luz eléctrica desde muy temprano, en 1901; además fueron ellos los que construyeron el muelle, el edificio del correo, el comienzo de la ruta, etc. El médico, el farmacéutico, la panadería, la sastrería y la biblioteca que funcionaban en el penal para el servicio a los presos, y los empleados eran los que prestaban también servicios a la ciudad.

La ciudad estaba aislada, las comunicaciones llegaban sólo por mar, pero hubo temporadas enteras en que no llegaba ningún barco; por ejemplo en 1930, no llegó ningún transporte durante diez meses. Una carta podía tardar 45 días o más. Los diarios podían tener meses.

El presidio, con distintas modalidades, funcionó hasta 1948.

CARLOS VAIRO

El casco céntrico de la ciudad, bajo los montes nevados.
The down town below the snow-covered mounts.

nowadays. Convicts labor force allowed the city to have electricity since as early as 1901; besides it was them who built the pier, the post office building, the beginning of the route, etc. The doctor, the pharmacist, the baker's, the tailor's, and the library which worked in the prison for the convicts service, and their employees, were the same which served the city.

The city was isolated, communications could reach it only by sea, but there were whole seasons in which not a single ship would arrive, such as in 1930, when no transport arrived during ten months. A letter could take 45 days or more to get there. Newspapers could be months old.

The Prison, with different modalities, worked until 1948.

HÉCTOR MONSALVE

En los últimos veinte años, con el crecimiento demográfico, se construyeron nuevos barrios. De fondo los montes Olivia y Cinco Hermanos enmarcan la ciudad.

During the last twenty years, along with demographic development, new neighborhoods were built. In the background, Mounts Olivia and Cinco Hermanos frame the city.

La población estable de Ushuaia en 1970 era de 6.000 habitantes. Actualmente esa cifra es casi diez veces mayor.

The stable population of Ushuaia in 1970 was of 6,000 inhabitants. Nowadays it is almost ten times bigger.

SERGIO ZAGIER

Los ushuaienses nativos rondan el 40%, y la mitad de la población de Ushuaia tiene entre quince y cuarenta años.
Native Ushuaians round 10%, and half the population of Ushuaia is between fifteen and forty years old.

Vista del monte Olivia desde la bahía.

View of Mount Olivia from the bay.

SERGIO ZAGIER

SERGIO ZAGIER

Club Náutico y muelle comercial del Puerto de Ushuaia. Los montes Olivia y Cinco Hermanos de fondo.
Club Náutico and commercial pier of Ushuaia's Port. Mounts Olivia and Cinco Hermanos in the background.

Verano en Ushuaia: la temperatura puede alcanzar hasta 20° C.
Summer in Ushuaia: temperature can reach up to 20° C (68° F).

SERGIO ZAGIER

En el comienzo del verano el cielo no oscurece completamente, porque cuando se oculta el sol por el oeste, en el este se vislumbra el amanecer.

At the beginning of the summer the sky does not darken completely, because as the sun sets in the west, the sunrise can be seen in the east.

Dos hoteles de gran categoría se encuentran camino al Glaciar Martial.
Las lengas y los ñires que cubren los cerros toman en el otoño el característico color rojizo.

Two high category hotels are on the way to the Martial Glaciar.
Typical trees lengas and nires that cover the hills turn into their typical reddish colour.

Otoño en la vieja ruta 3.
Fall in the old route 3.

CARLOS VAIRO

SERGIO ZAGIER

CARLOS VAIRO

SERGIO ZAGIER

El otoño trae las primeras nevadas pintando las montañas de blanco y los bosques de cobre.
The fall brings the first snowfalls painting the mountains white and the woods copper.

SERGIO ZAGIER

Por la acción de fuertes vientos que generalmente soplan en una misma dirección, en muchos árboles se produce una desviación de crecimiento tomando una forma a la que se denomina árboles bandera.

Because of the strong winds that usually blow in the same direction, many trees grow twisted, looking like "flag trees".

La nieve cubre la ciudad desde el final de otoño hasta avanzada la primavera.

The snow covers the city from the end of fall until well started spring.

CARLOS VAIRO

Las atracciones turísticas funcionan durante todo el año, ofreciendo en cada estación distintos paisajes para el viajante.
Touristic attractions are available all year round, offering in each season different landscapes to the traveler.

En el comienzo del invierno el sol asoma a las 10 AM y se pone 5 PM aproximadamente.

At the beginning of winter the sun rises at 10 AM and sets at 5 PM approximately.

SERGIO ZAGIER

Vista invernal del ala del ex presidio donde hoy funciona el Museo Marítimo de Ushuaia. Cientos de presos sufrieron el frío durante casi cincuenta años.

Wintry view of the wing of the former Prison where the Maritime Museum of Ushuaia operates today. Hundreds of prisoners suffered the cold weather for almost fifty years.

La arquitectura de la ciudad

Los sacrificados habitantes de Tierra del Fuego se defendieron del clima hostil del invierno en sus viviendas. Sus costumbres edilicias y arquitectónicas fueron prácticas, funcionales y adaptadas al medio.

"...las techumbres, de múltiples caídas, en ángulos casi agudos, en franca competencia con los picos de la montañas y respondiendo a la necesidad de sacudirse la cargazón de nieve durante los inviernos prolongados. La casi totalidad de las viviendas contaban con grandes ventanales orientados hacia todos los rumbos, para recibir el máximo baño solar (...) Los edificios se construían con sólida estructura de madera de lenga, generosa escuadría firmemente arriostrados para resistir los empujes de repentinos rachones o temporales de viento. Los techos, todos de cinc o hierro galvanizado, como la mayoría de los muros exteriores. Las habitaciones, en los primeros tiempos, se revestían con tablas rústicas, sin cepillar, con tapajuntas, o cubiertas de pulcros empapelados sobre flexible superficie de arpillera estirada y clavada sobre las ásperas tablazones. Recién con el perfeccionamiento de los aserraderos, se pudo disponer de maderas cepilladas y machimbradas." (Enrique S. Inda, La Ushuaia de ayer)

The city's architecture

Tierra del Fuego's self-sacrificing inhabitants defended themselves from the hostile winter weather inside their houses. Building and architectonic customs were practical, functional and well-adapted to the environment.

"...roofs had many slopes, in very steep angles, frankly competing with the mountain peaks, and responding to the need of shaking off the snow weight during the long winters. Almost all the buildings had huge windows looking the four cardinal points, so as to get a longer sunbathe (...) Buildings were built in a solid lenga wood structure, a generous scantling firmly braced to resist the force of sudden dashing of rachones (gusts) or wind storms. Roofs were all made of zinc or galvanized iron, as most of the external walls. Rooms were at the beginning covered in rustic wooden planks, without planing, with fillets, or covered with smooth wallpapers on flexible areas of stretched sackcloth and nailed on the rough plankings. It was not until the perfecting of the saw-mills that planed and tongue-and-groove jointed wood was available." (Enrique S. Inda, Yesterday's Ushuaia).

SERGIO ZAGIER

Los sábados por la mañana están autorizadas las mudanzas de casas sobre trineos, generalmente de un terreno del estado a uno privado.

On Saturdays morning moving houses on sleds is allowed, generally from a state plot to a private one.

Avenida Maipú al 400. Se destacan la parte posterior de la Casa de Gobierno con su cúpula de color negro, y a la derecha la Legislatura Provincial construída en 1894 y declarada Monumento Histórico Nacional en 1983.

Maipú Av. The Government House's back side and its black dome can be seen, and on the right the Provincial Legislature built in 1894 and declared National Historical Monument in 1983.

Casa de Gobierno. Funciona como sede del poder ejecutivo provincial en este edificio desde 1976.
The Government House. It is the building of the Provincial Executive Power since 1976.

Antigua residencia de la familia Buezas, en la esquina de San Martín y Roca. Construída en 1937, y reformada como negocio gastronómico en 1951, funciona hasta la actualidad.

Former residence of the Buezas' family, on the corner of San Martín St and Roca St. Built in 1937 and turned into gastronomic business in 1951, it is still open.

SERGIO ZAGIER

Museo del Fin del Mundo situado en Avenida Maipú y Rivadavia. Edificio construído en 1903, fue sede del Banco Nación entre 1915 y 1978.

End of the World Museum situated in Maipu Av and Rivadavia St. Built in 1903, the Banco Nación operated there between 1915 and 1978.

Típicas construcciones fueguinas.
Typical Fuegian constructions.

Casa tradicional de chapa que actualmente funciona como alojamiento para turistas.

Traditional metal sheet house which currently hosts tourists.

Barrio de Suboficiales en la bahía Ensenada.
Petty Officers' neighborhood in Ensenada Bay.

Casa Beban en el Paseo de las Rosas, bahía Ensenada.

Beban House in Paseo de las Rosas (Roses' Stroll), Ensenada Bay.

Antigua casa del Gobernador. Actualmente sede del Poder Legislativo, es Monumento Histórico Nacional y Casa Museo.

Former Government House. It currently hosts the Legislative Power, and it is a National Historical Monument and House Museum.

Estancia Menéndez Betty en Río Grande.
Menéndez Betty Ranch in Rio Grande.

La Ruta Nacional N° 3, de 3.063 km de extensión, comunica a Ushuaia hacia el norte con Río Grande y el resto del país, y hacia el oeste con el Parque Nacional Tierra del Fuego. Se aprecian en Lago Roca y la Bahía Lapataia (arriba).

National Route N° 3, 3,063 km long, communicates Ushuaia with Rio Grande and the rest of the country to the north, and to the west with National Park Tierra del Fuego. Roca Lake and Lapataia Bay can be appreciated (above).

CARLOS VAIRO

Sobre el horizonte a la izquierda se distingue la isla Navarino separada de la isla Hoste por el canal Murray (Chile). Del lado argentino el Parque Nacional Tierra del Fuego, bahía Ensenada, isla Redonda, bahía Lapataia y desembocadura del lago Roca.

Above the horizon to the left, Navarino Island can be seen, separated from Hoste Island by Murray Channel (Chile). On the Argentine side, National Park Tierra del Fuego, Ensenada Bay, Redonda Island, Lapataia Bay, and Roca Lake's ending.

Lago Escondido y la vieja traza de la Ruta 3, ascendiendo al Paso Garibaldi para cruzar la cordillera.

Escondido Lake (Hidden Lake) and Route 3's old path, going up to Paso Garibaldi to cross the Andes.

Lago Escondido. En el horizonte el lago Fagnano.
Escondido Lake (Hidden Lake). Fagnano Lake on the horizon.

Hostería Kaikén en Lago Fagnano.
Kaikén Inn at Lake Fagnano.

4x4 en el Lago Fagnano.

Off road around Lake Fagnano.

El clima de la región asegura largas temporadas con nieve para poder practicar deportes invernales.

Weather in the region ensures long snowy seasons which are ideal to practice winter sports.

SERGIO ZAGIER

Pistas para todos los niveles y maravillosos paisajes se combinan para una gran propuesta.
All levels slopes and wonderful landscapes combine together to make a great treat.

En los últimos años se ha desarrollado una excelente infraestructura que disfrutan turistas de todo el mundo, como por ejemplo el nuevo centro invernal del Cerro Castor.

During the last years, an excellent infrastructure has been developed, such as the new winter center Cerro Castor, which is enjoyed by tourists from all over the world.

Las carreras de trineo constituyen una de las actividades deportivas más características de la región.

Sleds races are one the most characteristic sport activities of the region.

SERGIO ZAGIER

Distintos centros invernales combinan actividades recreativas, deportivas y gastronómicas.

Different winter centers combine games, sports and gastronomic activities.

La raza de perros Siberian Husky se convirtió practicamente en un ícono de los centros invernales fueguinos.

Siberian Husky dogs have become an icon of winter Fueguian centers.

Para concretar el traslado de materiales (especialmente madera) para la construcción del Penal de Ushuaia, a principios del siglo XX se monta un xilocarril, o sea un tren que viajaba sobre rieles de madera con trocha de 60 cm.

A "xilocarril", that is to say a train traveling on wooden rails of a 60 cm gage, was mounted at the beginning of the XX century to carry materials (especially wood) for the construction of the Prison in Ushuaia.

CARLOS VAIRO

El "Tren de los Presos" dejó de funcionar con el cierre del Presidio en 1952. En 1994 el tren más austral del mundo vuelve a circular, reconvertido en una atracción turística.

The "Prisoners' Train" stopped working with the closing of the Prison in 1952. In 1994 the most austral train in the world moved again, turned into a tourist attraction.

La estación del Fin del Mundo, cabecera del Ferrocarril Austral Fueguino, se encuentra 8 km al oeste de la ciudad de Ushuaia. El viaje llega hasta el Parque Nacional Tierra del Fuego.

The End of the World Station, head of Ferrocarril Austral Fueguino (Fueguian Austral Railway), is 8 km west of the city of Ushuaia.

El Parque Nacional Tierra del Fuego es el único en la Argentina que posee costas marinas. Fue creado en 1960 y protege 63.000 hectáreas de riquezas naturales. A la izquierda vemos las bahías Lapataia y Ensenada, el monte Susana y de fondo la bahía de Ushuaia con el monte Olivia.

National Park Tierra del Fuego is the only one in Argentina which possesses sea coasts. It was created in 1960 and it protects 63,000 hectares of natural riches. On the left we can see Lapataia and Ensenada bays, Mount Susana, and in the background Ushuaia Bay along with Mount Olivia.

Parque Nacional Tierra del Fuego. La estafeta postal en isla Redonda, bahía Ensenada.
National Park Tierra del Fuego. The post office in Redonda Island (Round Island), Ensenada Bay.

Parque Nacional Tierra del Fuego. Recreación de refugios yamana.
National Park Tierra del Fuego. Recreation of Yamanas' shelters.

MINGO GALUSIO

Cauquenes en el Parque Nacional Tierra del Fuego.
Cauquenes in National Park Tierra del Fuego.

Guanacos en el bosque fueguino.

Guanacos in the Fuegian forest.

Aserradero de la familia Bronzovich. En la actualidad la explotación de recursos naturales está muy limitada y controlada.
Bronzovich family's saw mill. Exploitation of natural resources is very much limited and controlled nowadays.

CARLOS VAIRO

En los alrededores de la ciudad existe una intensa actividad rural. La estancia Harberton, perteneciente a la familia Bridges, pionera en la zona, actualmente combina las tareas de campo tradicionales con el turismo y la investigación científica.

There is intense rural activity around the city. Harberton's ranch, belonging to the Bridges family, pioneers in the area, currently combines traditional country works with tourism and scientific investigation.

A la vera del Canal Beagle las cabalgatas son otra alternativa para conocer los paisajes. En Tierra del Fuego se practican actividades ecuestres tradicionales como carreras de sortijas, de la silla o pato.

Bordering the Beagle Channel, horse-riding is another way to know the different landscapes. In Tierra del Fuego, traditional equestrian activities are practiced, such as rings and chairs' races, or the "Pato" (a sport similar to horseball).

La gastronomía fueguina cuenta entre sus platos más típicos la trucha que se pesca principalmente en el norte de la isla y el tradicional cordero patagónico.

Fueguian gastronomy has trout and the traditional Patagonian lamb among its most typical dishes. Trout is mainly fished in the north of the island.

Se estima que existen unas 800.000 cabezas de ganado en la provincia de Tierra del Fuego.

It is estimated that there are about 800,000 heads of cattle in the province of Tierra del Fuego.

CARLOS VAIRO

SERGIO ZAGIER

El aprovechamiento de la carne y la lana del ganado ovino constituye una de las principales actividades económicas de la región.
The exploitation of sheep's meat and wool is one of the main economic activities in the region.

Descubrimiento del canal Beagle

Recién en 1830 una expedición se internó por la región sur de Tierra del Fuego. Los motivos fueron tanto las malas condiciones climáticas, el miedo a los nativos y en especial que trataban de llegar a Oriente donde estaban las grandes fuentes de riquezas como las especias, telas y joyas. Eso hizo que esta tierra fuera sólo un escollo que debían pasar lo más rápidamente posible; algo así como la puerta del infierno que debían golpear, pero que nadie se atrevía a explorar en su interior.

Beagle Channel discovery

It was not until 1830 that an expedition went into the south region of Tierra del Fuego. There were different reasons, such as terrible weather conditions, fear of native people, and especially the fact they were trying to get to the East, where there were big sources of richness like spices, cloths and jewels. This turned the land into just another small difficulty which they had to sort out as soon as possible, something like a hell's door, which they had to knock at, but whose insides nobody wanted to explore.

ARCHIVO MUSEO MARÍTIMO DE USHUAIA

Estancia Harberton. Fundada por Thomas Bridges en 1887 fue el primer establecimiento fueguino. Resta sobre el Beagle y es el único con islas de la Argentina.

Harberton ranch. Founded by Thomas Bridges in 1887, it was the first Fueguian settlement. It is placed on the Beagle Channel and it is the only one with islands in Argentina.

SERGIO ZAGIER

El canal Beagle se extiende entre la Isla Grande de Tierra del Fuego y las de Navarino y Hoste.
The Beagle Channel goes between Isla Grande of Tierra del Fuego (Tierra del Fuego's Big Island) and those of Navarino and Hoste.

El canal Beagle cerca de estancia Túnel.
The Beagle Channel, near Túnel ranch.

Canal Beagle.
Beagle Channel.

Fragata Libertad, buque escuela de la Armada Argentina, en su paso por Ushuaia. Cada vez son más los buques escuela de otros países que visitan Ushuaia.

Frigate Libertad, training ship of the Argentine Navy, in Ushuaia. There are more and more training ships from other countries visiting Ushuaia.

SERGIO ZAGIER

Colonia de cormoranes en el lugar conocido como Isla de los Pájaros del archipiélago Bridges, en el canal Beagle.
Cormorants colony in the place known as Isla de los Pájaros (Birds' Island) in the Bridges Archipelago, Beagle Channel.

SERGIO ZAGIER

El faro no habitado Les Eclaireurs fue puesto en servicio el 23 de diciembre de 1920 en el canal Beagle, frente a las costas de Ushuaia. Muchas veces se lo menciona erróneamente como el Faro del Fin del Mundo.

The non-inhabited lighthouse Les Eclaireurs was put on service on December 23rd, 1920 in the Beagle Channel, in front of the coasts of Ushuaia. It has been many times mistakenly referred to as the Lighthouse of the end of the World.

Debido a que los canales fueguinos no son rutas marítimas comerciales, únicamente son navegados por buques militares o por cruceros turísticos.

Because the Fueguian channels are not commercial maritime routes, they are sailed only by military or tourist ships.

Los turistas que navegan los canales fueguinos tienen la posibilidad de explorar sitios muy bellos, casi no explorados por el hombre.

Tourists who sail the Fueguian channels have the possibility to explore very beautiful places, almost unexplored by men.

En los canales fueguinos hay una gran serie de glaciares que descienden hasta el mar desde una cordillera que llega a los 2.000 m de altura.

In the Fueguian channels there are a lot of glaciers which go down to the sea from a mountain range which reaches 2,000 meters in height.

El velero Callas navegando frente al glaciar Garibaldi, que desciende por la cordillera Darwin hasta el mar. Está en un profundo fiordo de los canales fueguinos conocido como seno Garibaldi.

Sailing ship Callas, navigating in front of glacier Garibaldi, which goes down along the Darwin mountain range into the sea. It is in a deep fjord of the Fueguian channels known as bosom Garibaldi.

Isla de los Estados

La Isla de los Estados tuvo siempre un gran atractivo cargado de misterio, tanto para el europeo como para los primitivos habitantes de la región. Los yamanas cruzaban el traicionero Estrecho Le Maire asentándose en sus costas, y sus hechiceros la consideraban fuente de sus poderes.

Los primeros europeos que la avistaron fueron los de la expedición holandesa de Schouten y Le Maire en 1616. La Armada Argentina llega en 1884 e instala en San Juan de Salvamento una sub prefectura, el llamado Faro del Fin del Mundo y el Presidio.

Los dos cementerios, los restos del faro, nos hablan de una ocupación humana corta pero intensa de "la Isla Misteriosa". Si a eso le sumamos restos de refugios y las leyendas de cazadores de lobos marinos y "raqueadores" de naufragios, el misterio se convierte en algo casi mítico. Luego volvió a quedar sola, aislada, y esto la fue devolviendo a su estado primitivo pero ya con algunos cambios como las cabras, las ratas y los ciervos; pero también recuperando las colonias de lobos marinos y pingüinos.

Foto de San Juan de Salvamento desde un buque en 1898.

Picture of San Juan de Salvamento from a ship (1898).

Isla de los Estados (Staten Island)

Isla de Los Estados has always been highly attractive and surrounded by mystery not only for the Europeans but also for the primitive inhabitants of the region. Yamana people used to cross the dangerous Le Maire Strait, settling down on its banks, and sorcerers believed it to be the source of their powers.

The first Europeans to descry it were the ones in the Dutch expedition of Schouten and Le Maire in 1616. The Argentine Navy arrived in 1884 and it settled a sub prefecture, the so-called Faro del Fin del Mundo (the Lighthouse of the End of the World) and the Prison, in San Juan de Salvamento.

The two cemeteries, the remains of the lighthouse, tell us of a short but intense human occupation of the "Mysterious Island". If we add to this the remains of shelters and the stories of sea wolves hunters and shipwrecks "raqueadores" (beachcombers), the mystery becomes almost mythical. Then it became isolated, alone, again. This took it back to its primitive state, keeping some changes such as the goats, rats, and deer, but also helping it to recover the sea wolves and penguins colonies.

CARLOS VAIRO

"Las avalanchas, las lluvias torrenciales, las furiosas marejadas, los violentos vientos son la causa de tan repentinos cambios en la naturaleza hidro-topográfica de la isla" (Giacomo Bove, 1884). A la isla de los Estados es muy común encontrarla con un espeso campo de nubes.

"Avalanches, torrential rains, strong swells, violent winds are the cause of such sudden changes in the hydro-topographic nature of the island" (Giacomo Bove, 1884). It is very common to find Isla de los Estados (Staten Island) surrounded by thick clouds.

Puerto de San Juan de Salvamento. El Faro del Fin del Mundo estaba ubicado en Punta Laserre.

San Juan de Salvamento Port. The Lighthouse of the End of the World was placed in Punta Laserre.

Respecto al faro, el subteniente Diógenes Aguirre escribió en 1884: "Sólo un fin político o el deseo de prestar auxilio a la humanidad protegiendo la navegación de esos mares puede compensar ese gasto de la Nación".

Regarding the lighthouse, lieutenant Diógenes Aguirre wrote in 1884: "Only a political interest or the wish to help humanity by protecting navigation of those seas can compensate the Nation's spending that money".

CARLOS VAIRO

Unica foto que se conoce del Faro del Fin del Mundo en actividad (1897). La perspectiva muestra seis caras del faro haciendo suponer un total de doce, cuando en realidad tenía dieciseis. Se aprecia la dotación completa de cinco torreros y un jefe de la entonces Marina de Guerra.

The only known picture of the Lighthouse of the End of the World in activity (1897). This shot shows six sides of the lighthouse, making us think of a total twelve, when there were actually sixteen. The complete crew, made up of five lighthouse keepers and a chief of the former Navy, can be appreciated.

El Lic. Carlos P. Vairo en el actual Faro de San Juan de Salvamento. Maqueta donada por Francia en 1998.

Licentiate Carlos P. Vairo in the current Lighthouse of San Juan de Salvamento. Scale model donated by France in 1998.

Faro de la Isla Observatorio. Monumento histórico nacional. Reemplazó al faro de San Juan de Salvamento en septiembre de 1902.

Lighthouse of Isla Observatorio (Observatory Island). National historical monument. It replaced the lighthouse of San Juan the Salvamento in September, 1902.

CARLOS VAIRO

Puerto Cook. Unica construcción de material sobre la playa donde estaba el Presidio Militar que fue clausurado a fines de 1902.

Cook Port. The only material construction on the beach where it was the Military Prison, which was closed down by the end of 1902.

Cabo de Hornos

El mítico Cabo de Hornos tiene bien ganada su fama por parte de todos los marinos del mundo. Muchos buques desaparecieron sin dejar rastros en ese tempestuoso y gélido mar del confín del mundo.

Fue bautizado Hoorn Caap por la expedición holandesa de Schouten y Le Maire que buscaba un paso que les permitiera llegar a las Indias Orientales sin doblar en el Cabo de Nueva Esperanza ni navegar el Estrecho de Magallanes, siendo los primeros en pensar que Tierra del Fuego era una isla y no parte de un continente austral.

Desde entonces se convirtió en el mayor desafío de todos los navegantes a vela y en uno de los lugares más temidos para todo aquel que quiera cruzar su meridiano. El clima en esta parte del mundo es casi impredecible.

Cape Horn

The mythical Cape Horn has very well earned its fame with sailors all round the world. Many ships disappeared without a trace in this tempestuous and icy sea right at the end of the world.

It was christened Hoorn Caap by the Dutch expedition of Schouten and Le Maire, which was looking for a way that would allow them to reach the East Indies without turning in New Hope's Cape nor sailing the Magallanes Strait, being the first to think that Tierra del Fuego was an island and not part of an austral continent.

Since then it has become sailors' biggest challenge and one of the most feared places for anyone willing to cross its meridian. Weather in this part of the world is almost unpredictable.

COLECCIÓN SERGIO ZAGIER

El Cabo de Hornos fue escena de cientos de naufragios.
Cape Horn was the scenery of hundreds of shipwrecks.

CARLOS VAIRO

Isla Hornos. Monumento de los "Cap Horniers", inaugurado en 1992 en memoria de los navegantes que fallecieron debido a las duras condiciones climáticas del mítico Cabo de Hornos.

Hornos Island. Monument to the "Cap Horniers", inaugurated in 1992, in memory of the sailors who died due to the tough weather conditions of the mythical Horn Cape.

Cabo de Hornos: míticas aguas para navegantes de todo el mundo.

Horn Cape: mythical waters for sailors all over the world.

Capilla naval Stella Maris y el Faro Monumental del Cabo de Hornos.
Naval Chapel Stella Maris and the Monumental Lighthouse of Horn Cape.

Naufragios

Tierra del Fuego está rodeada de aguas que por uno u otro motivo fueron siempre temidas, tanto por los marinos como por los simples pasajeros o turistas. Sucede que en este mar se conjugan varios factores simultáneamente.

Entre ellos se destacan la baja temperatura del agua que oscila entre 5 y 7° C según la zona descendiendo hacia la Antártida, la baja salinidad del mar, los fuertes vientos, la intensidad de las mareas y las corrientes marítimas, la alta nubosidad, los témpanos y los grandes temporales que varían en características de acuerdo a la región.

A lo largo de los siglos, por diversos motivos cientos de embarcaciones han naufragado en las aguas del fin del mundo.

Buque mercante Desdémona, varado intencionalmente en 1985 en cabo San Pablo, península Mitre.

Merchant ship Desdemona, intentionally run aground in 1985 in St Paul's Cape, Mitre Peninsula.

Shipwrecks

Tierra del Fuego is surrounded by waters which, for one reason or another, have always been feared by seamen as well as by passengers or tourists. What happens is that several factors are simultaneously combined.

Among them is the low temperature of the water which oscillates between 5°C and 7°C (41°F and 44.6°F), depending on the area, gettin lower towards the Antarctica.

Other factors are: the low salinity of the sea, the strong winds, the intensity of the tides and sea currents, the cloudiness, the icebergs and the great storms which vary according to the region. Throughout the centuries and for different reasons, hundreds of vessels have shipwrecked in the world's end waters.

CARLOS VAIRO

La motonave Logos, en viaje de Ushuaia a Puerto Madryn, varó a 500 yardas del Islote Solitario el 4 de enero de 1988 a causa de un error de navegación.

Motor boat Logos, on its trip from Ushuaia to Puerto Madryn, ran aground 500 yards from Islote Solitario (Lonely Islet) on January 4th, 1988, because of a navigation error.

El remolcador Saint Christopher llegó a Tierra del Fuego en 1953 para trabajar como buque de apoyo en el reflotamiento del Monte Cervantes en el Canal Beagle.

Tugboat Saint Christopher arrived at Tierra del Fuego in 1953 to work as a support ship in the refloating of Monte Cervantes in the Beagle Channel.

DARIO URRUTY

Tras fracasar el reflotamiento del Monte Cervantes, en el Canal Beagle, el ATR Saint Christopher fue abandonado y luego varado intencionalmente en 1957. Actualmente se lo puede ver desde la ciudad de Ushuaia.

After failing the refloating of Monte Cervantes, in the Beagle Channel, the ATR Saint Cristopher was abandoned and then intentionally run aground in 1957. Nowadays, it can be seen from the city of Ushuaia.

En península Mitre, costa atlántica de Tierra del Fuego, encontramos el naufragio de la Fragata Duchess of Albany (1893). Se cree que fue intencional. Es uno de los cientos que hay en la zona. En este caso, por suerte, se salvó toda la tripulación.

In the Mitre Peninsula, on the Atlantic coast of Tierra del Fuego, we find the shipwreck of the frigate Duchess of Albany (1893). It is believed to have been intentional. It is one of the hundreds that there are in the area. In this case, luckily, every member of the crew survived.

CARLOS VAIRO

En cabo San Pablo encontramos el varamiento del Desdemona. Frente a un gran temporal su capitán prefirió embicarlo a la costa, luego de haber tocado con las piedras y rasgado su casco.

In San Pablo Cape we find the running aground of the Desdemona. Facing a strong storm, her captain chose to guide her towards the coast, after having touched rocks and torn her hull.

Agradecimientos:

Para la obtención
de las fotos han
colaborado
amigos y personal
del Aeroclub
Ushuaia, Base
Naval Ushuaia,
Base Aeronaval
Ushuaia, Cruce-
ros Australis,
Comapa, Centro
Invernal Cerro
Castor, Buque Ice
Lady Patagonia,
Velero Callas,
Tres Marías
Excursiones,
Ferrocarril
Austral Fueguino,
Misión Salesiana
de Río Grande,
Las Cotorras,
Altos del Valle,
Canal Expedicio-
nes, Aserradero
Laguna Verde,
Hotel Las Hayas,
Estancia Río
Penitentes,
Sernatur, SVD,
Cartomax, etc.

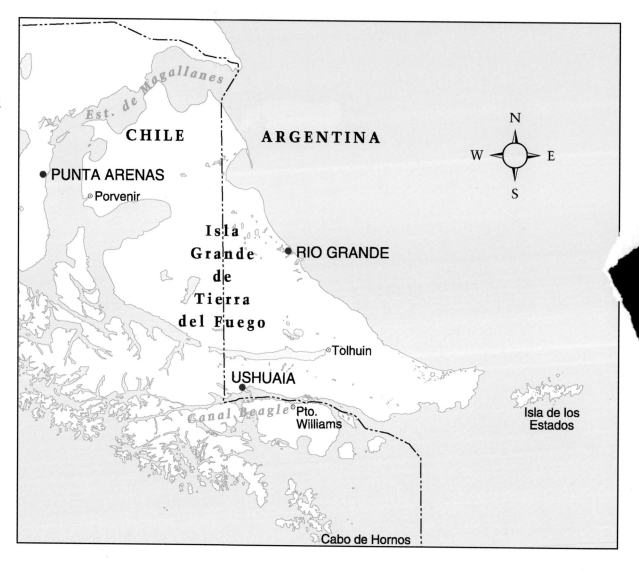